ちくちくとふわふわ

なないろ

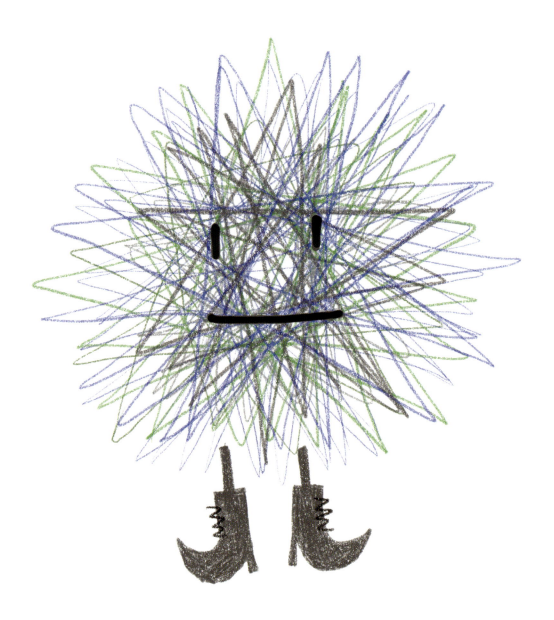

ねぇねぇ ちくちく spiky(すぱいきー) って しってる？

Do you know Spiky?

あるひ おえかきしてたら おにいちゃんが いったの
「そんなゾウ みたことない」って

One day, while I was drawing, my brother said,
"I have never seen such an ugly elephant before."

むねのあたりが ちくちくしたわ

I felt something spiky.

だから わたしは いったの
「みないでよ あっちへいって」って

So I said, "Don't look. Go away!"

おにいちゃん あっかんべーをして いっちゃった

My brother stuck out his tongue and walked away.

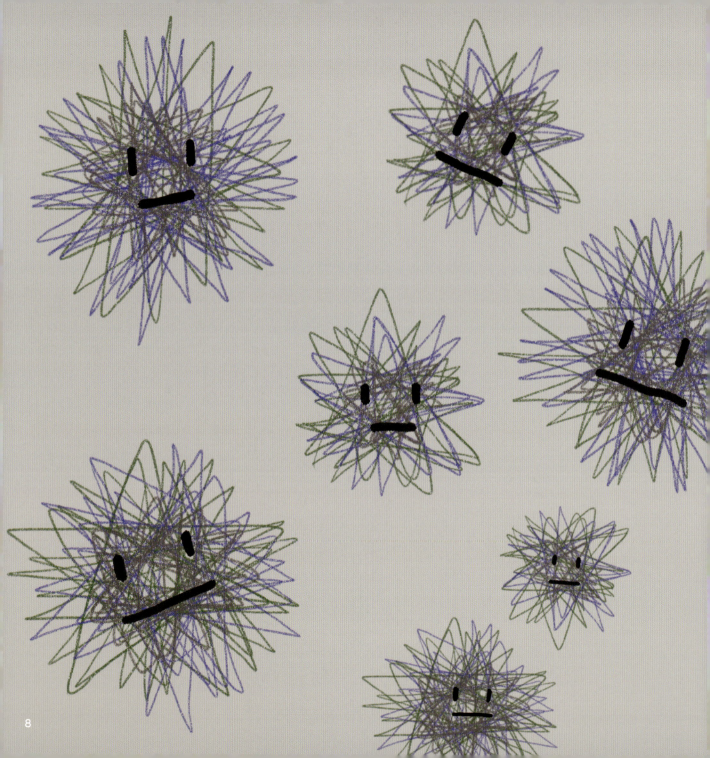

ねぇ しってる？

Do you know?

ちくちく spiky は おおきくなったり
どんどんふえたり しちゃうんだって

Spiky grows bigger.
And more and more will pop out.

ちくちく spiky が いっぱいのせかい
ちっとも すてきじゃないでしょう

ねぇねぇ ふわふわ Fluffy(ふらっふぃー)って しってる？

Do you know Fluffy?

べつのひ おにいちゃんに いってみたの
「いっしょに おえかき しよう」って

Another day, I said to my brother,
"Shall we draw together?"

わたしが「そんなサメ みたことない」っていったら
おにいちゃんは「まほうのうみに いるんだぞ」だって

"I have never seen such a funny shark before."
I told my brother.
Then he said, "It lives in a magical sea!"

ひとりでかくより　ずっとずっとたのしかった

It is so much more fun drawing together.

ねぇ しってる？

Do you know?

ふわふわ Fluffy も おおきくなったり
どんどんふえたり するんだって

Fluffy grows bigger, too.
And more and more will pop out.

もしも しっぱいしちゃったときはね

If you make a mistake,

ふわふわ Fluffy が いっぱいのせかい
なんだか わくわくしちゃうでしょう！

Can you imagine
a world with a lot of Fluffys?
It makes us feel HAPPY!

ちくちく Spiky が うまれることば いくつ しっているかな
Words that Spikys appear, how many do you know?

やだ

It's boring.

だめ

Yucky!

つまんない

つかうまえに ちょっとだけかんがえてみてね
Let's think about it before using these words.